商务馆世界少儿汉语系列教材
世界汉语教学学会 审订

世界少儿汉语

World Young Learners' Chinese

第2册

李润新 主编

商务印书馆
The Commercial Press
2009年·北京

图书在版编目（CIP）数据

　　世界少儿汉语.第2册/李润新主编.－北京：商务印
书馆，2008
　　ISBN　978-7-100-05575-8

　　I.世… II.李… III.汉语-对外汉语教学-教材
IV.H195.4

　　中国版本图书馆CIP数据核字（2007）第120516号

SHÌJIÈ SHÀO'ÉR HÀNYǓ

世　界　少　儿　汉　语

李润新　主编

第 2 册

商 务 印 书 馆 出 版
（北京王府井大街36号　邮政编码100710）
商 务 印 书 馆 发 行
北京中科印刷有限公司印刷
ISBN 978－7－100－05575－8

2008 年 6 月第 1 版　　　开本 880×1230 1/16
2009 年 4 月北京第 2 次印刷　印张 7 1/4
定价：33.00 元

顾　　问	季羡林　吕必松		
名誉编委	崔希亮（北京语言大学校长）		
	彭　俊（北京华文学院院长）		
	苏国华（北京芳草地小学校长）		
主　　编	李润新		
编　　委	李润新　张　辉　张向华		
	黄荣荣　付　钢　邵亚男		
	陈　曦　周　洁〔泰国〕		
翻　　译	张　辉　韩　菡		
绘　　图	镭　铀		

Lǐ Àihuá
李爱华
liù suì, nánháir, huáyì
六岁, 男孩儿, 华裔
a six-year-old boy of Chinese origin

Bái Lìli
白丽丽
liù suì, nǚháir, huáyì
六岁, 女孩儿, 华裔
a six-year-old girl of Chinese origin

Ālǐ
阿里
liù suì, nánháir, Fēizhōu xuésheng
六岁, 男孩儿, 非洲 学生
an African schoolboy, six years old

Mǎlì

玛丽

liù suì bàn, nǚháir, Ōuzhōu xuésheng

六岁半， 女孩儿，欧洲 学生

an European schoolgirl, six and a half years old

这四个小学生是我们课本的主人公。

他们是同学，也是好朋友。

他们也会成为你们学好汉语的好伙伴！

As classmates and good friends, the four pupils are the main characters of this series, and will also become your companions in your Chinese study!

序

　　一种语言的国际地位，跟使用这种语言的国家的实力密切相关。随着经济、科技、外贸等的高速发展，中国的国际地位在迅速提高，在国际事务中的作用也越来越大。这就促使某些国家早已兴起的汉语热继续升温，在中小学开设汉语课的学校也越来越多。作为一名汉语教学工作者，我对此兴奋不已。

　　中国人学外语要从娃娃抓起，外国人学汉语也应当如此。道理很明显，跟成年人相比，少儿学习外语有天然的优势，尤其是有更强的模仿能力，更容易学到纯正的语音。令人遗憾的是，迄今为止，我国专供外国少儿学习的汉语教材还出版得很少。李润新教授主编《世界少儿汉语》系列教材，是适应时代需要和外语学习趋势的一件大事，我相信凡是关心汉语推广的人都会大力支持。

　　我仔细拜读了《〈世界少儿汉语〉系列教材编写大纲》和部分样课，深感这部教材特色鲜明，针对性和实用性很强，编教指导思想和教材编写原则也十分明确，不但反映了我国对外汉语教学的丰富经验，而且还吸收了一些最新研究成果，在"字本位"的编教路子上，有所开拓，有所创新，较充分地体现了汉语、汉字的特点。这主要是因为主编和编委都是学有专长和教学经验丰富的教授和老师。我们有理由相信，《世界少儿汉语》将是一部出色的教材，一定会受到学习者和教师的欢迎。

　　李润新教授命我为教材写序，我除了深感荣幸之外，还要以一名汉语教学工作者的名义，向为发展我国对外汉语教学事业而甘心奉献的主编和全体编委，向对出版这部教材充满热忱的商务印书馆，表示深深的敬意，并预祝《世界少儿汉语》获得成功。

吕必松

2006年3月于北京

编 写 说 明

一、《世界少儿汉语》是一套供外籍少儿教学的系列综合教材，是根据中国国家汉办《汉语水平考试（少儿）》等文件，针对小学汉语教学的实际情况而编写的。适合所有华裔和非华裔的少儿汉语教学使用。

二、教学编写贯彻四个原则：

1. 以培养言语交际能力为目的，以听、说、读、写的言语技能训练为手段。

2. 贯彻"以学生为中心，以教师为主导"的原则，启发和引导学生积极参与教学的全部活动。

3. 始终注重汉字和汉语的特点，走"以字为本位"的编教之路，既注意继承并发扬传统的和现代的汉语教学经验，也吸收其他语种的先进的教学经验。

4. 贯彻"以人为本"、"以爱育人"的原则。

三、本教材的教学目标：

培养学生具备汉语普通话听、说、读、写的基本言语技能和初步言语交际能力，了解中华文化的基本常识，为进一步学习中国语言文化打下良好的基础。

四、本教材在体例上的五个特点：

1. 语音教学采用中国大陆小学及幼儿园的语音教学系统，采取三拼法与整体认读。侧重语音操练，针对外籍小学生发音的特点，从实际言语材料的语流入手，然后分解声母、韵母、声调，进行音素教学和拼音、正音、辨音、辨调等各种技能训练，使音素教学与汉字、词汇、短语、句子教学相结合，做到把学习语音和学习说话结合起来。

2. 本教材摆脱了多年按印欧语系拼音文字"以词为本位"来编写汉语教材的旧路子，开拓了符合汉语自身特点和规律的"以字为本位"的编教新路子。遵循汉字结构规律和中小学生的认知规律，从笔画笔顺入手，按照笔画、部件、独体字、合体字的顺序，由易到难、由简单到复杂地有序排列，识字写字都"以部件为纲"，充分体现汉字形、音、义结合的特点。通过"字—词—句"做到"字不离词、词不离句"，把汉字教学、词汇教学和汉语教学结合起来。通过"说一说"、"读一读"做到口语表达能力和书面语表达能力同步提高。

3.本教材在小学阶段不讲语法，在大量言语现象感性认知的基础上，启发学生感悟基本语法知识。要求教师精讲多练，三分之二的时间让学生操练，尽量多用形象直观的教学手段，"寓教于乐"、"寓教于动"，多用公式、图表、图片、动作演示等方法让学生理解。

4.本教材设"儿歌乐园"，每课有一至三个儿歌或谜语，大多是自编的，作为每课的辅助读物，以增加教材的趣味性和知识性。

5.本教材每课配有一幅主题画，生词基本上是一词一图，"说一说"、"读一读"也均配有一两幅插图，做到图文并茂，文中有画，画中有文，增加词语的形象性和语境的真实性，有助于学生的理解和运用。

五、本教材有主教材12册，《活动手册》12册，并配有《教师手册》。每册10课，分2个单元，每单元5课，包括一个复习课。

六、本教材面向现代化，将配以录音、录像、光盘、教具、学具等，是一套多媒体的立体教材。

由于编写时间紧促，难免有疏漏之处，祈盼专家、学者及广大教师、学生家长不吝赐教，以期使之日臻完善。

编　　者
2006年8月

你叫什么名字

What's your name

写一写　Learn to write

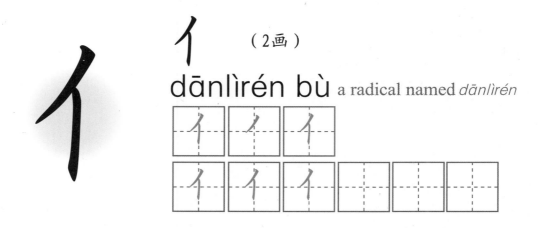

亻　（2画）

dānlìrén bù　a radical named *dānlìrén*

你　（7画）　　亻+尔→你

nǐ　　you

你们　　**nǐmen**　　you (plural form)

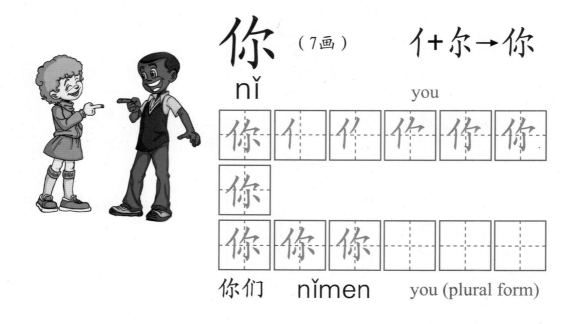

们 （5画） 亻+门→们
men

a suffix used to form a plural number when added to a personal pronoun or a noun referring to a person

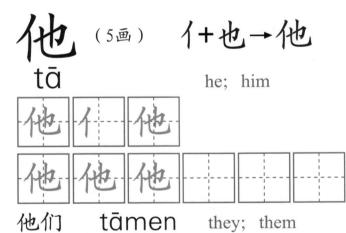

我们　　wǒmen　we

他 （5画） 亻+也→他
tā　　　　　he; him

他们　　tāmen　they; them

什 （4画） 亻+十→什
shén

么 （3画）
me

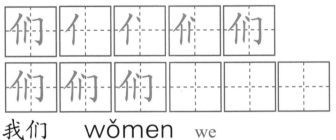

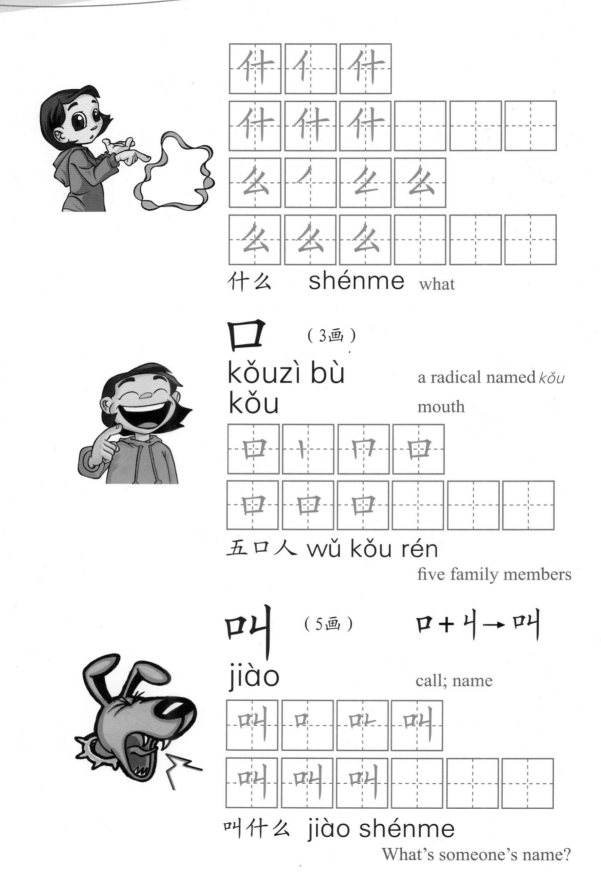

什么　　shénme　what

口　（3画）

kǒuzì bù　　a radical named *kǒu*
kǒu　　mouth

五口人 wǔ kǒu rén

five family members

叫　（5画）　　口 + 丩 → 叫

jiào　　call; name

叫什么 jiào shénme

What's someone's name?

吃 （6画） 口+乞→吃

chī eat

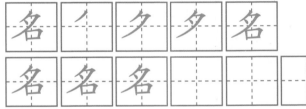

吃什么 chī shénme

What (would you like) to eat?

名 （6画） 夕+口→名

míng name

名字 míngzi name

字 （6画） 宀+子→字

zì character

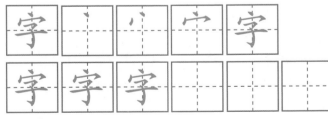

写字 xiězì write characters

呢 （8画） 口＋尼→呢

ne

an auxiliary word

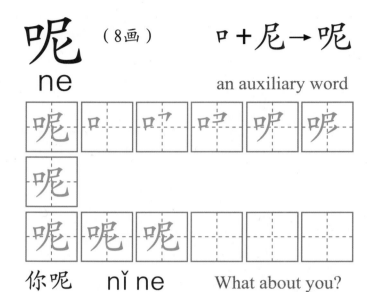

你呢　　nǐ ne　　What about you?

吗 （6画） 口＋马→吗

ma

an auxiliary word used
at the end of a question

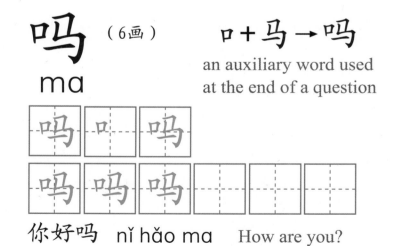

你好吗　nǐ hǎo ma　How are you?

字 → 词 → 句　Character → Word → Sentence

叫
叫什么
叫什么名字
你叫什么名字？

名
名字
我的名字
我的名字叫阿里。

吃
吃什么
吃什么水果（shuǐguǒ, *fruit*）
你吃什么水果？

字
汉字（Hànzì, *Chinese characters*）
写汉字
我们写汉字。

说一说 Learn to speak

玛丽：你好（Nǐ hǎo, *Hello*）！
你叫什么名字？

阿里：我叫阿里。你呢？

玛丽：我叫玛丽。

白丽丽：你好！你是（shì, *are*）李爱
华吗？

李爱华：对（duì, *You are right*），我是李
爱华。你是白丽丽吗？

白丽丽：对，我是白丽丽。

读一读 Learn to read

李爱华、白丽丽、阿里和玛丽，他们是同学（tóngxué, *classmates*），他们都（dōu, *all*）学习（xuéxí, *study*）中文。

儿歌乐园 Children's songs

一

Rén zhī chū,
xiān yǒu xìng,
hòu yǒu míng.
Xìng hé míng,
yào jìqīng.

After we were born,

we got our surnames first,

and then got our first names.

We should remember

our surnames and first names.

二

Jiāo péngyou,
jiào dàmíng.
Péngyou jiào,
kuài dāying.

When making friends,

we should call their names.

When friends call us,

we should answer them immediately.

2 我家有三口人

There are three people in my family

写一写　Learn to write

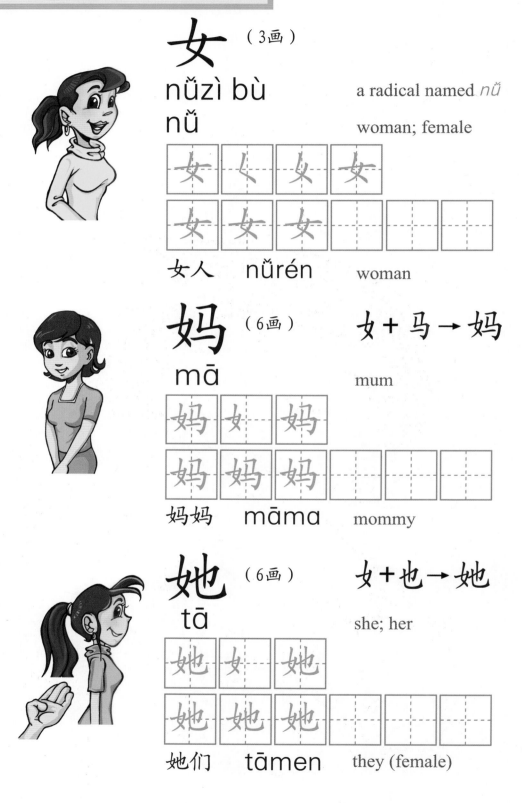

女（3画）

nǚzì bù　　a radical named *nǚ*

nǚ　　woman; female

女人　nǚrén　woman

妈（6画）　女 + 马 → 妈

mā　　mum

妈妈　māma　mommy

她（6画）　女 + 也 → 她

tā　　she; her

她们　tāmen　they (female)

姐 （8画）　　女＋且→姐

jiě　　elder sister

姐	女	女	如	如	姐
姐					
姐	姐	姐			

姐姐　　jiějie　　elder sister

妹 （8画）　　女＋未→妹

mèi　　younger sister

妹	女	女	妇	妹	妹
妹					
妹	妹	妹			

妹妹　　mèimei　　younger sister

奶 （5画）　　女+乃→奶

nǎi　　　　　　grandma

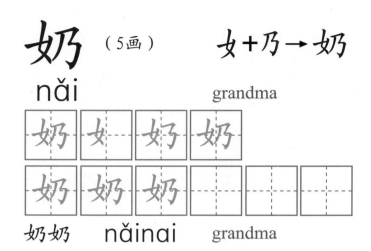

奶奶　　nǎinai　　grandma

好 （6画）　　女+子→好

hǎo　　　　　　good
hào　　　　　　like; be fond of

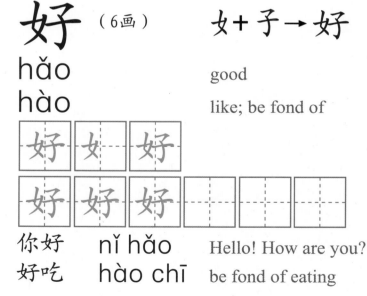

你好　　nǐ hǎo　　Hello! How are you?
好吃　　hào chī　　be fond of eating

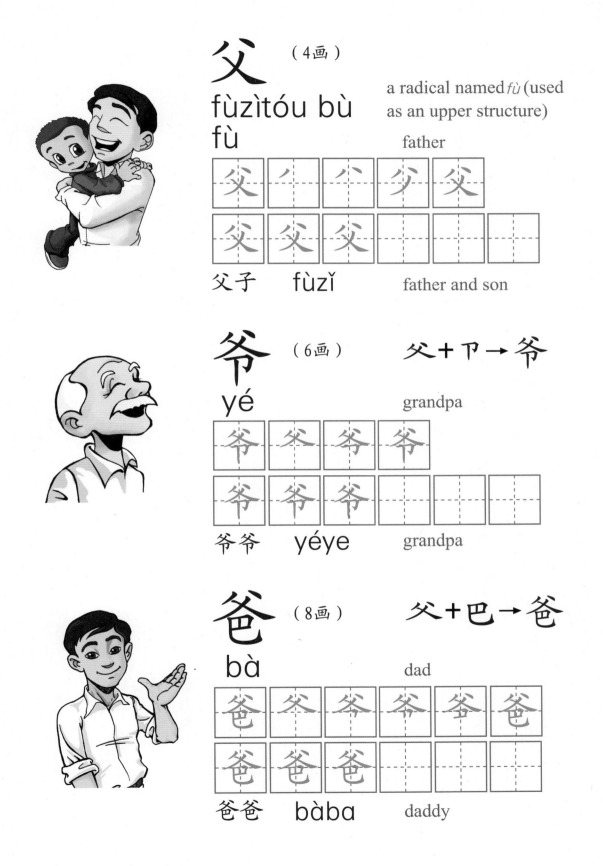

父 （4画）

fùzìtóu bù — a radical named *fù* (used as an upper structure)

fù — father

父子　fùzǐ — father and son

爷 （6画）　父＋卩→爷

yé — grandpa

爷爷　yéye — grandpa

爸 （8画）　父＋巴→爸

bà — dad

爸爸　bàba — daddy

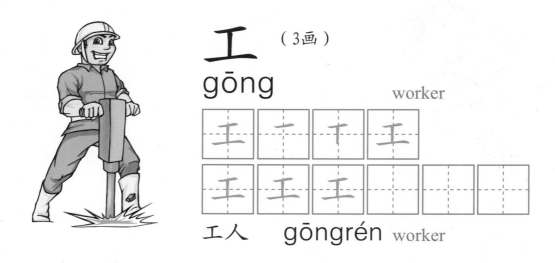

工 （3画）

gōng   worker

工人   gōngrén worker

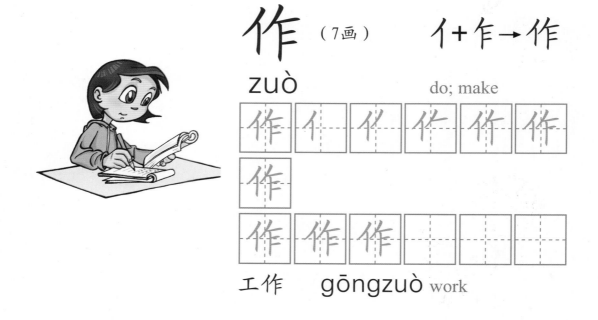

作 （7画）   亻+乍→作

zuò   do; make

工作   gōngzuò work

字 → 词 → 句　　Character → Word → Sentence

口
五口人
有（yǒu, *there are*）五口人
我家（jiā, *family*）有五口人。

工
工作
爸爸工作
爸爸、妈妈都（dōu, *both*）工作。

作
工作
不工作
爷爷、奶奶都不工作。

姐
姐姐
姐姐是（shì, *is*）
姐姐是护士（hùshi, *nurse*）。

说一说 Learn to speak

阿　里：丽丽，你家有几口人？

白丽丽：我家有三口人：爸爸、妈妈和我。
　　　　你家呢？

阿　里：我家有七口人：爷爷、奶奶、爸爸
　　　　妈妈、姐姐、妹妹和我。你爸爸、
　　　　妈妈工作吗？

白丽丽：他们都工作。我爸爸是医生
　　　　（yīshēng, *doctor*），我妈妈是老师
　　　　（lǎoshī, *teacher*）。

读一读 Learn to read

阿里家有七口人：爷爷、奶奶、爸爸、妈妈、姐姐、妹妹和（hé, *and*）阿里。

他爸爸、妈妈、姐姐都工作。他爷爷、奶奶都不工作。他和妹妹都是学生（xuésheng, *students*）。

儿歌乐园 Children's songs

一

Wǒ de jiā,
yǒu māma,
yǒu bàba.
Sān kǒu rén,
dōu ài jiā.

In my family there are
mommy
and daddy.
We three
all love our family.

二

Hǎo jiějie,
hǎo mèimei.
Xué Hànyǔ,
bù pà lèi.

Good elder sister
and younger sister
study Chinese
without fearing weariness.

3 我们上汉语课

We have Chinese lessons

写一写　Learn to write

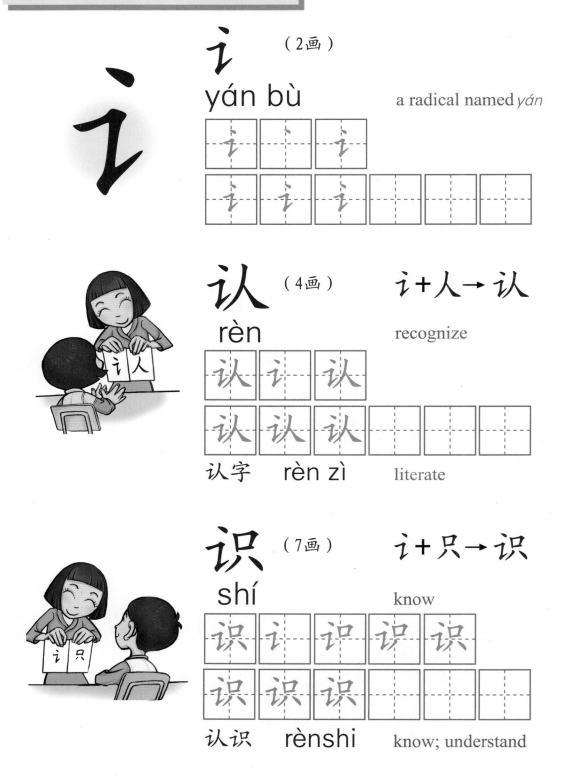

讠　（2画）

yán bù　　a radical named *yán*

认　（4画）　　讠＋人 → 认

rèn　　recognize

认字　**rèn zì**　literate

识　（7画）　　讠＋只 → 识

shí　　know

认识　**rènshi**　know; understand

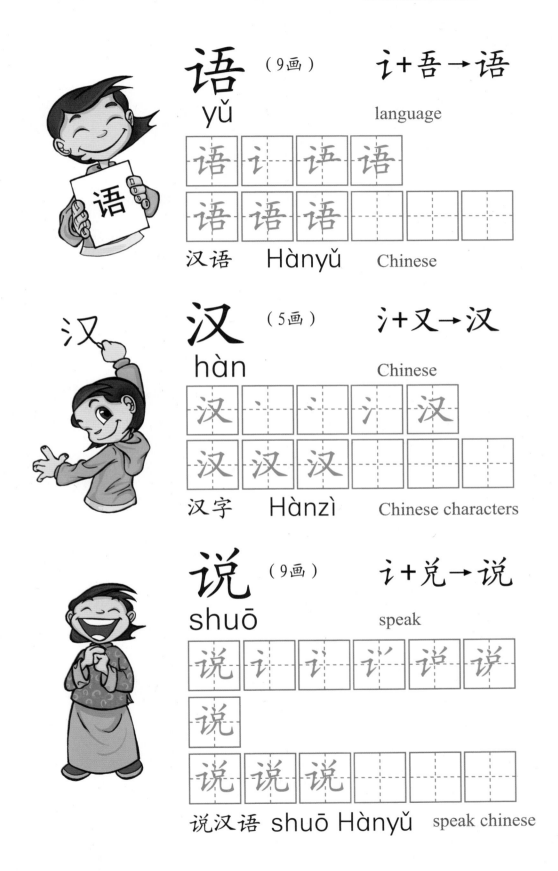

语 （9画）　　讠+吾→语
yǔ　　　　　language

| 语 | 讠 | 讶 | 语 |
| 语 | 语 | 语 | |

汉语　Hànyǔ　Chinese

汉 （5画）　　氵+又→汉
hàn　　　　　Chinese

| 汉 | 丶 | 氵 | 汉 |
| 汉 | 汉 | 汉 | |

汉字　Hànzì　Chinese characters

说 （9画）　　讠+兑→说
shuō　　　　　speak

| 说 | 讠 | 讠 | 讠 | 说 | 说 |
| 说 |
| 说 | 说 | 说 | |

说汉语　shuō Hànyǔ　speak chinese

话 （8画）　　　讠+舌→话

huà　　　　　　　　　word; talk

说话　　shuōhuà　　speak; talk

课 （10画）　　讠+果→课

kè　　　　　　　　lesson; class

上课　　shàngkè　　class begins
下课　　xiàkè　　　class is over

讲 （6画）　　讠+井→讲

jiǎng　　　　　　　speak; talk

讲汉语　jiǎng Hànyǔ　speak chinese

词 （7画）　讠+司→词

cí　word

词语　**cíyǔ**　words and expressions

生 （5画）

shēng　new; unfamiliar

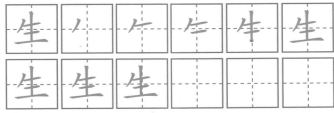

生词　**shēngcí**　new words
生字　**shēngzì**　new Chinese characters

字→词→句　Character → Word → Sentence

课
上课
上汉语课
我们上汉语课。

说
说汉语
我说汉语。
我们说汉语。

认
认识
认识你
我认识你。

写
写汉字
我写汉字。
我们写汉字。

说一说 Learn to speak

李爱华： 你喜欢（xǐhuan, *be fond of*）
上什么课？

白丽丽： 我喜欢上汉语课。你呢？

李爱华： 我也喜欢上汉语课。你认识
阿里和玛丽吗？

白丽丽： 我认识他们。他们也都喜
欢上汉语课。我们是同学。

读一读 Learn to read

上汉语课时（shí, *at the time of, when*），老师讲课，我们写汉字、说汉语。我们都爱（ài, *love*）老师，老师也爱我们。我们都喜欢上汉语课。

儿歌乐园 Children's songs

一

Nǐ wǒ tā,
shuō Hànyǔ.
Shuō de hǎo,
dǐngguāguā.

You, he and I

speak Chinese.

We speak fluently

and excellently.

二

Nǐ wǒ tā,
xiě Hànzì.
Xiě de hǎo,
lǎoshī kuā.

You, he and I

write Chinese characters.

We write so well

that the teacher praises us.

4 下课了

Class is over

写一写　Learn to write

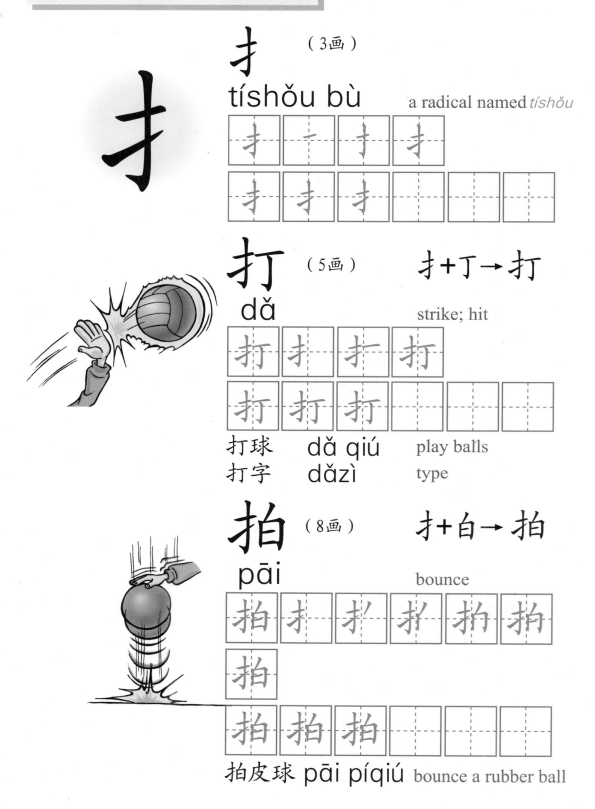

才 （3画）

才

tíshǒu bù　　*a radical named tíshǒu*

打 （5画）　　才+丁→打

dǎ　　strike; hit

打球　　dǎ qiú　　play balls
打字　　dǎzì　　type

拍 （8画）　　才+白→拍

pāi　　bounce

拍皮球 pāi píqiú bounce a rubber ball

找 （7画）   扌+戈→找

zhǎo   look for

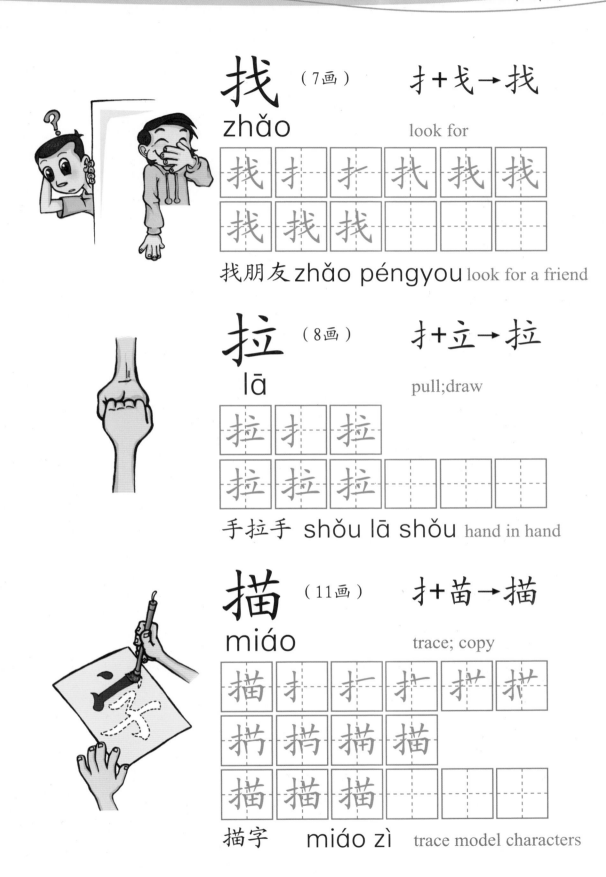

找朋友 zhǎo péngyou look for a friend

拉 （8画）   扌+立→拉

lā   pull; draw

手拉手 shǒu lā shǒu hand in hand

描 （11画）   扌+苗→描

miáo   trace; copy

描字   miáo zì   trace model characters

王 （4画）
wángzì bù   a radical named *wáng*

玩 （8画）   王＋元→玩
wán   play; have fun

玩儿什么 **wánr shénme**
What (would you like) to do for fun?

球 （11画）   王＋求→球
qiú   ball

足球   **zúqiú**   football

班 （10画） 王 + 丿 + 王 → 班

bān　　　　　　　class

| 班 | 王 | 玎 | 玑 | 班 |
| 班 | 班 | 班 | | |

我们班　wǒmen bān　　our class

用皮子做皮球

皮 （5画）

pí　　　　　　　leather

| 皮 | 一 | 厂 | 广 | 皮 |
| 皮 | 皮 | 皮 | | |

皮鞋　píxié　　leather shoes

吧 （7画） 口 + 巴 → 吧

ba　　　　　　　an auxiliary word

| 吧 | 口 | 吧 |
| 吧 | 吧 | 吧 | | |

好吧　hǎo ba　　OK; all right

起 （10画）　走 + 己 → 起

qǐ

get up; rise

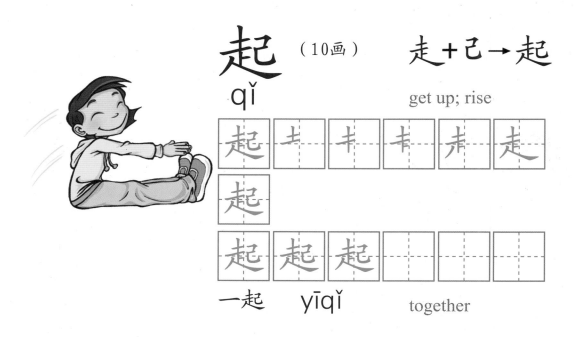

一起　yīqǐ　together

字 → 词 → 句　Character → Word → Sentence

拍
拍皮球
比拍皮球
我们比拍皮球。

玩
去（qù, *go to*）玩
一起去玩
我们一起去玩吧！

起
一起
一起学习
我们一起学习汉语。

二年级 一班

班
我们班
爱我们班
我爱我们班。

说一说 Learn to speak

阿里：下课了！玛丽，我们一起去玩儿吧！

玛丽：玩儿什么呢？

阿里：我们去拍皮球吧！

玛丽：好吧，我们比比谁拍得（de）多（duō, *more*）。

读一读 Learn to read

下课时，我们班的同学常常（chángcháng, *usually*）一起玩儿。有的（yǒude, *some of us*）打篮球（dǎ lánqiú, *play basketball*），有的拍皮球，有的打乒乓球（dǎ pīngpāngqiú, *play table tennis*），有的手拉手做游戏（zuò yóuxì, *play games*）。我们都是好朋友（hǎo péngyou, *good friends*）。

儿歌乐园 Children's songs

Xiàkè la,

qù wánr ba !

Shǒu lā shǒu,

yīqǐ wánr !

Yīqǐ wánr,

xiàohāhā.

Class is over,

and let's go out to play.

Hand in hand,

we play together.

We have fun together

with laughter.

二

Wǒ zhǎo péngyou,

qù pāi píqiú;

Nǐ zhǎo péngyou,

qù dǎ páiqiú;

Tā zhǎo péngyou,

qù dǎ lánqiú.

I am looking for a friend

to bounce a rubber ball.

You are looking for a friend

to play volleyball.

He is looking for a friend

to play basketball.

5 复习课 我爱我们班

Revision I love our class

写一写　Learn to write

爱 （10画）　罒 + 冖 + 友 → 爱
ài　　　love

我爱妈妈　wǒ ài māma
I love my mother

同 （6画）　冂 + 一 + 口 → 同
tóng　　same

同学　tóngxué　schoolmate;classmate

学 （8画）　⺍ + 子 → 学
xué　　learn;study

学习　xuéxí　study

男 （7画） 田＋力→男

nán　　　　　man;male

男同学 nántóngxué　　boy student

是 （9画）

shì　　　　　be

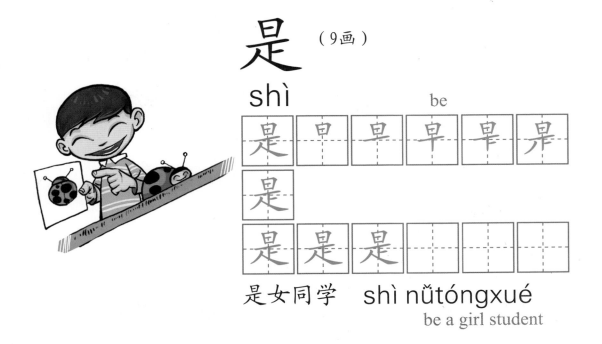

是女同学　shì nǚtóngxué
be a girl student

字 → 词 → 句　Character → Word → Sentence

爱
我爱
我很（hěn, *very much*）爱
我很爱我们班。

同
同学
是同学
我们是同学。

学
学习
我们学习
我们学习汉语。

男
男同学
是男同学
他们是男同学。

说一说 Learn to speak

玛丽：阿里，你们班有多少（duōshao, *how many*）
同学？

阿里：我们班有二十个同学。

玛丽：几个男同学？几个女同学？

阿里：八个男同学，十二个女同学。

玛丽：你爱你们班吗？

阿里：当然（dāngrán, *certainly*）爱了！上课了，
我们班同学一起学习；下课了，我们一
起玩儿，我们都是好朋友。

读一读 Learn to read

我们班有二十个同学，十二个女同学，八个男同学。

我们都爱我们的老师。我们的老师像（xiàng, *be like*）我们的爸爸、妈妈一样（yī yàng, *the same as*）。

我们班的同学一起学习，一起玩儿，像哥哥、姐姐、弟弟（dìdi, *younger brother*）、妹妹一样。

儿歌乐园 Children's songs

一

Wǒmen bān,
Our class

xiàng gè jiā.
is like a family.

Xiàng nǐ jiā,
Like your family,

xiàng tā jiā,
like his family,

xiàng wǒ jiā.
like my family.

Wǒmen dàjiā,
All of us

dōu ài tā.
love our class.

二

Mā ài wǒ,   Mum loves me,

wǒ ài mā.   and I love mum.

Bà ài wǒ,   Dad loves me,

wǒ ài bà,   and I love dad.

Quán jiā rén,   All of the family members

dōu ài jiā.   love our family.

描一描，写一写　Trace and write

你们他什么口叫吃名字呢吗

你	你	你			
们	们	们			
他	他	他			
什	什	什			
么	么	么			
口	口	口			
叫	叫	叫			
吃	吃	吃			
名	名	名			
字	字	字			
呢	呢	呢			
吗	吗	吗			

女妈她姐妹奶好父爷爸工作

女	女	女			
妈	妈	妈			
她	她	她			
姐	姐	姐			
妹	妹	妹			
奶	奶	奶			
好	好	好			
父	父	父			
爷	爷	爷			
爸	爸	爸			
工	工	工			
作	作	作			

认 识 语 汉 说 话 课 讲 词 生 打 拍

认	认	认			
识	识	识			
语	语	语			
汉	汉	汉			
说	说	说			
话	话	话			
课	课	课			
讲	讲	讲			
词	词	词			
生	生	生			
打	打	打			
拍	拍	拍			

找	找	找	找			
拉	拉	拉	拉			
描	描	描	描			
玩	玩	玩	玩			
球	球	球	球			
班	班	班	班			
皮	皮	皮	皮			
吧	吧	吧	吧			
起	起	起	起			
爱	爱	爱	爱			
同	同	同	同			
学	学	学	学			
男	男	男	男			
是	是	是	是			

念一念 Read aloud

Xué Hànzì Kǒujué
学 汉字 口诀

A rhyme for learning Chinese characters

Hànzì hǎo, Hànzì hǎo,
汉字 好，汉字 好，
Chinese characters are great creatures,

Hànzì běnlái shì guībǎo.
汉字 本来 是 瑰宝。
they are genuine gems.

Xué hànzì, jiàn shuāngnǎo,
学 汉字，健 双脑，
Learning Chinese characters is good for our brains,

bǎo nǐ cōngming yòu shǒu qiǎo.
保 你 聪明 又 手 巧。
it can make us cleverer and defter.

Xiě Hànzì, bìng bù nán,
写 汉字，并 不 难，
It's not difficult to write Chinese characters,

fāngfǎ duìtóu zhǐ děngxián.
方法 对头 只 等闲。
if you get the knack.

Miáo bǐhuà, yào rènzhēn,
描 笔画，要 认真，
We should be earnest while tracing a stroke,

yī bǐ yī huà yào jìqīng.
一 笔 一 画 要 记清 。
and it's important to remember each stroke clearly.

Xiě Hànzì, yǒu guīzé,
写 汉字， 有 规则，
There are rules in writing Chinese characters,

zūnshǒu guīzé yào yángé.
遵守 规则 要 严格。
which we should strictly comply with.

Zhǔ bùjiàn, yào jìláo,
主 部件， 要 记牢，
We should learn the essential parts of Chinese
characters by heart,

xíng yīn yì, yào míngliǎo.
形 音 义，要 明了。
and keep the shape, the pronunciation and the
meaning of each character in mind.

Yuè duō xiě, zì yuè hǎo,
越 多 写，字 越 好，
With more and more practice in writing,

bǎo nǐ Hànzì gàile màor !
保 你 汉字 盖了 帽儿 !
you will be extremely good at Chinese characters!

6 圆圆的明月

The round and bright moon

写一写　Learn to write

月 （4画）

yuèzì bù　a radical named *yuè*

yuè　moon

明月　míngyuè　bright moon

明 （8画）　日＋月→明

míng　bright

明天　míngtiān　tomorrow

朋 （8画）　月＋月→朋

péng　friend

朋友　péngyou　friend

天 （4画）

tiān　　　　　　sky

天上　　tiānshàng　　in the sky

有 （6画）　广+月→有

yǒu　　　　　have; there is; exist

有名　　yǒumíng　　famous

胖 （9画）　月+半→胖

pàng　　　　fat

胖子　　pàngzi　　a fat person

脸 （11画）　月+佥→脸

liǎn　　　　　face

脸 月 胪 胪 脸 脸

脸 脸

脸 脸 脸

圆脸　　**yuán liǎn**　round-faced

囗 （3画）

dàkǒu bù　a radical named *dàkǒu*

囗 丨 冂 囗

囗 囗 囗

团 （6画）　囗+才→团

tuán　　　　group

团 丨 冂 门 闭 团

团

团 团 团

团圆　　**tuányuán**　reunion

圆
yuán （10画） round

口＋员 → 圆

圆	丨	冂	冋	冋	冋
冋	圆	圆			
圆	圆	圆			

圆珠笔　yuánzhūbǐ　ball-pen

园
yuán （7画） garden

口＋元 → 园

| 园 | 丨 | 冂 | 园 | 园 |
| 园 | 园 | 园 | | |

公园　gōngyuán　park

国
guó （8画） country

口＋玉 → 国

| 国 | 丨 | 冂 | 国 | 国 | 国 |
| 国 | 国 | 国 | | | |

中国　Zhōngguó　China (the country)

字 → 词 → 句　Character → Word → Sentence

月
明月
我爱明月
我爱圆圆的明月。

朋
朋友
我的朋友
小胖是我的朋友。

脸
圆脸
一张（zhāng, *a classifier*）圆脸
他有一张圆脸。

国
中国
爱中国
我们爱中国。

读一读 Learn to read

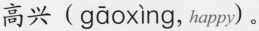

八月十五是中秋节。晚上，天上有圆圆的明月。我和爷爷、奶奶、爸爸、妈妈、姐姐、妹妹一起看圆月，吃月饼（yuèbing, *moon-cake*），一家人大团圆，很（hěn, *very*）高兴（gāoxìng, *happy*）。

说一说 Learn to speak

老师：明天八月十五，是什么节日？

学生：中秋节。

老师：中秋节的月亮圆吗？

学生：很圆！

老师：你们喜欢圆圆的明月吗？

学生：喜欢！

老师：中秋节你们吃什么？

学生：吃月饼。

老师：月饼好吃吗？

学生：很好吃！

儿歌乐园 Children's songs

Yuè'ér míng,
月儿　明　，
The moon is bright,

yuè'ér yuán.
月儿　圆　。
the moon is round.

Yuèbing yuán,
月饼　　圆　，
Moon-cakes are round,

yuèbing tián.
月饼　　甜　。
moon-cakes are sweet.

Yuányuán yuè xià chī yuèbing,
圆圆　　月　下　吃　月饼　，
We eat moon-cakes under the round moon,

nǐ jiā wǒ jiā dōu tuányuán.
你　家　我　家　都　　团圆　　。
and both your family and mine have a family reunion.

儿童节

Children's Day

写一写　Learn to write

木　（4画）

mùzì bù　　a radical named *mù*

mù　　wood

木	一	十	才	木
木	木	木		

木马　　mùmǎ　　hobby-horse

本　（5画）　　木 + 一 → 本

běn　　book

本	木	本
本	本	本

课本　　kèběn　　textbook

朵　（6画）　　几 + 木 → 朵

duǒ　　a classifier

朵	丿	几	朵
朵	朵	朵			

一朵云　　yī duǒ yún　　a cloud

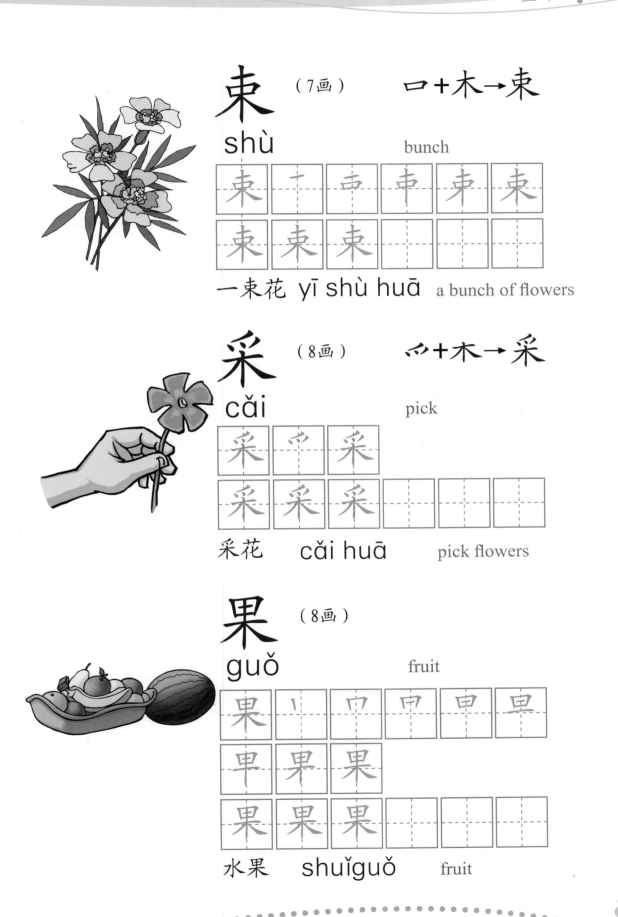

束 （7画） 口+木→束

shù　　　　bunch

一束花　yī shù huā　a bunch of flowers

采 （8画） 𠮾+木→采

cǎi　　　　pick

采花　　cǎi huā　　pick flowers

果 （8画）

guǒ　　　　fruit

水果　　shuǐguǒ　　fruit

63

艹 （3画）

cǎozì bù

a radical named cǎo

艹	一	十	艹

艹	艹	艹			

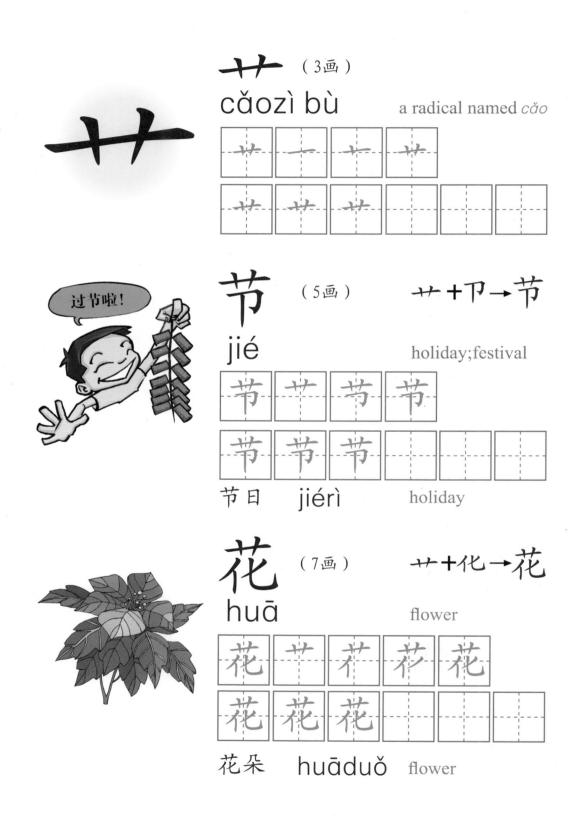

节 （5画）

艹＋卩→节

过节啦！

jié

holiday;festival

节	艹	节	节

节	节	节			

节日　jiérì　holiday

花 （7画）

艹＋化→花

huā

flower

花	艹	芢	芢	花

花	花	花			

花朵　huāduǒ　flower

礻 （4画）

ネ
shìzì bù   *a radical named shì*

礼 （5画）   礻+乚→礼

lǐ   *present*

礼物   **lǐwù**   *gift*

祝 （9画）   礻+兄→祝

zhù   *wish*

祝词   **zhùcí**   *congratulatory speech*

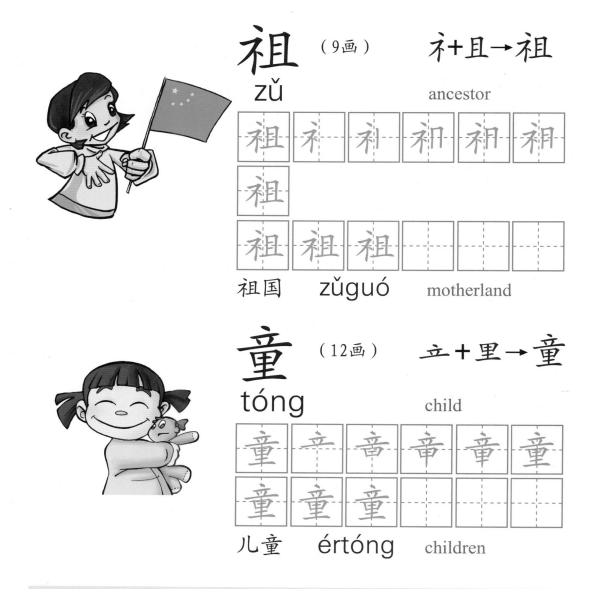

祖 （9画） 礻+且→祖

zǔ　　ancestor

祖国　zǔguó　motherland

童 （12画） 立＋里→童

tóng　　child

儿童　értóng　children

字→词→句　Character → Word → Sentence

本
课本
汉语课本
我有汉语课本。

朵
五朵花儿
五朵红（hóng, *red*）花儿
我有五朵红花儿。

节
节日
节日快乐（kuàilè, *happy*）
祝你们节日快乐！

祖
祖国
爱祖国
我们爱祖国。

读一读 Learn to read

六一儿童节时，爷爷和奶奶送给
（sònggěi, *give*）丽丽一束花儿。爷爷说：
"我们祝你节日快乐！"
　　爸爸、妈妈也祝她节日快乐。

说一说 Learn to speak

爷爷：丽丽，今天（jīntiān , today）是什么节日？

丽丽：今天是六一儿童节，是我们的节日！

爷爷：爷爷和奶奶今天采了一束花儿，送给你，祝你节日快乐！

丽丽：谢谢爷爷、奶奶！

儿歌乐园 Children's songs

一

Értóngjié,
儿童节，
Children's Day

láidào la !
来到 啦！
comes!

Chàngqǐ gē,
唱起 歌，
We begin singing

tiàoqǐ wǔ.
跳起 舞。
and dancing.

Xiǎopéngyou,
小朋友 ，
Little kids

xiàohāhā.
笑哈哈。
are laughing.

二

Zǔguó měi,
祖国　美，
Our motherland is as

měi rú huà.
美　如　画。
beautiful as a painting.

Ài zǔguó,
爱　祖国，
We love our motherland,

ài māma.
爱　妈妈。
we love our mums.

8 花花和宝宝

Huahua and Baobao

写一写　Learn to write

犭　（3画）

fǎnquǎn bù

a radical named fǎnquǎn

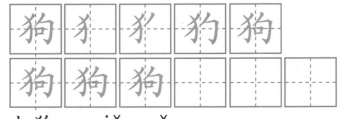

狗　（8画）　犭+句→狗

gǒu　dog

小狗　　xiǎogǒu　puppy

猜　（11画）　犭+青→猜

cāi　guess

猜一猜　cāi yī cāi　make a guess

猫 （11画）　犭+苗→猫

māo　　　cat

小猫　xiǎomāo　kitten

宀 （3画）

bǎogài bù　a radical named *bǎogài*

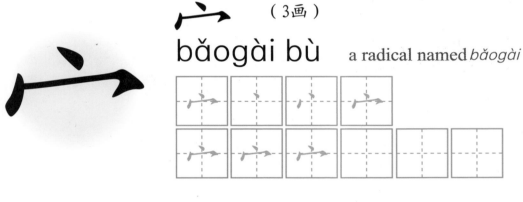

它 （5画）　宀+匕→它

tā　　　it

它们　tāmen　they (used for animals and things)

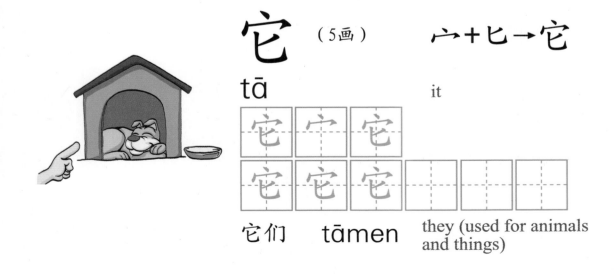

宝 （8画）　　　宀＋玉→宝

bǎo　　　　　treasure

| 宝 | 宀 | 宝 | | |
| 宝 | 宝 | 宝 | | |

国宝　　guóbǎo　national treasure

家 （10画）　　宀＋豕→家

jiā　　　　　home

家	宀	宀	宀	宀	宀
家	家	家			
家	家	家			

家园　　jiāyuán　homeland

羊 （6画）

yángzì bù　a radical named *yáng*
yáng　　　sheep

| 羊 | 丶 | 丷 | 半 | 羊 |
| 羊 | 羊 | 羊 | | | |

山羊　　shānyáng　goat

养 （9画） 　　　 羊 + 八 + 丿丨 → 养

yǎng　　　　　　　cultivate

养猫　　yǎng māo　　to raise a cat

着 （11画） 　　　 羊 + 目 → 着

zhe/zháo　　an auxiliary word/catch; get

养着　　yǎngzhe　　be cultivating
着火　　zháohuǒ　　catch fire

只 （5画） 　　　 口 + 八 → 只

zhī　　　　　　　a classifier

一只猫　yī zhī māo　　a cat

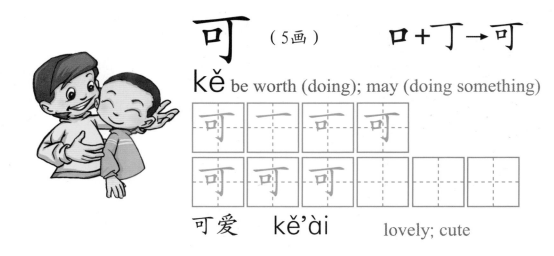

可 （5画）　　口 + 丁 → 可

kě　be worth (doing); may (doing something)

可	一	可	可
可	可	可	

可爱　kě'ài　　lovely; cute

字 → 词 → 句　　Character → Word → Sentence

狗
小狗
一只小狗
我家养着一只小狗。

猫
小猫
那只小猫的名字
那只小猫的名字叫花花。

可
可爱
可爱的花花和宝宝
它们是可爱的花花和宝宝。

猜
我猜
我猜它是
我猜它是花花。

读一读 Learn to read

丽丽家养着一只小猫，叫花花；养着一只小狗，叫宝宝。丽丽常常（chángcháng, *often*）和（hé, *with*）它们一起玩。它们都是丽丽的好朋友。

说一说 Learn to speak

爱华：丽丽，你家养猫吗？

丽丽：我家养着一只猫。

爱华：我家也养着一只猫，名字叫圆圆。你家的猫叫什么？

丽丽：叫花花。它是一只小花猫。它是我的好朋友。

爱华：我家的圆圆也是我的好朋友。

儿歌乐园 Children's songs

一

Xiǎo huā māo,
小　花猫,
Little cats

miāomiāo jiào.
喵喵　叫。
are meowing,

Zhuō lǎoshǔ,
捉　老鼠,
They are good at

běnlǐng gāo.
本领　高。
catching rats.

Rénrén ài,
人人　爱,
Everyone loves cats

dōu kuā hǎo.
都　夸　好。
and praise them.

二

Xiǎo báigǒu,
小　白狗，
Little white dogs

huì kānjiā.
会　看家。
can look after the house.

Jiàn shēngrén,
见　　生人　，
When seeing strangers,

wāngwāng jiào,
汪汪　　　叫，
they will bark.

Jiàn shúrén,
见　熟人，
When seeing acquaintance,

yáo wěiba.
摇　尾巴。
they will wag their tails.

9 公园

Park

写一写 Learn to write

辶 （3画）
zǒuzhī bù *a radical named zǒuzhī*

边 （5画） 力+辶→边
biān side

西边	xībian	west
北边	běibian	north
上边	shàngbian	above; over
下边	xiàbian	under; below

这 （7画） 文+辶→这
zhè this; here

这边 zhèbian this side; here

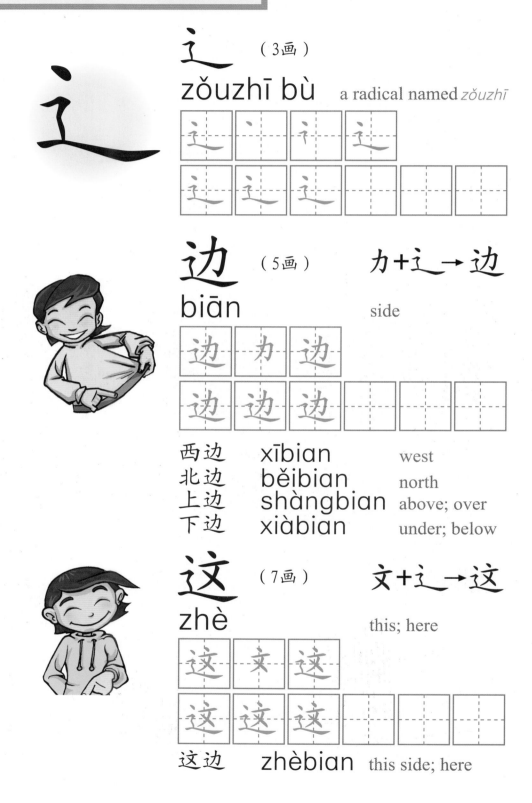

那 （6画）　　刃 + 阝 → 那

nà　　　　　　　　that; there

那边　　nàbian　　that side; there

远 （7画）　　元 + 辶 → 远

yuǎn　　　　　　far

不远　　bù yuǎn　　not far

近 （7画）　　斤 + 辶 → 近

jìn　　　　　　　near

远近　　yuǎnjìn　　distance; far and near

和 （8画）

hé and; with

我和妈妈 **wǒ hé māma**
mum and I

乡 （3画）

jiǎosī bù a radical named *jiǎosī*

红 （6画）

hóng red

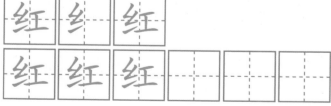
红花儿 **hónghuār** red flowers

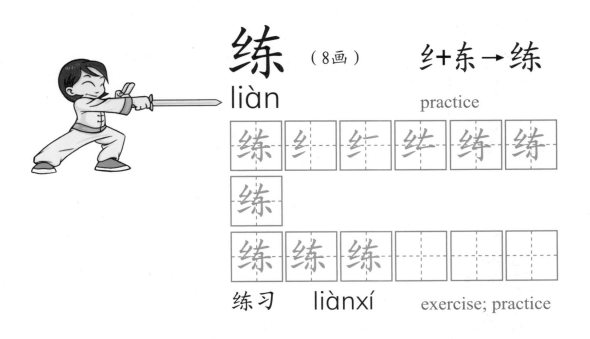

练 （8画）　　纟+东 → 练

liàn　　　　practice

练	纟	纟	纮	纺	练
练					
练	练	练			

练习　　liànxí　　exercise; practice

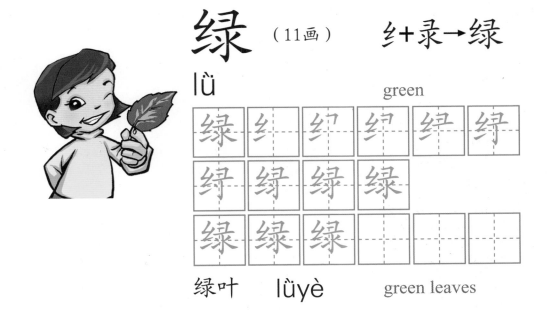

绿 （11画）　　纟+录 → 绿

lǜ　　　　green

绿	纟	纫	纫	纤
纤	绿	绿	绿	
绿	绿	绿		

绿叶　　lǜyè　　green leaves

叶 （5画）　　口 + 十 → 叶

yè　　　　　　　leaf

叶子　yèzi　　　leaf

美 （9画）　　䒑 + 大 → 美

心灵美

měi　　　　　　pretty

美丽　měilì　　　beautiful

看 （9画）　　手 + 目 → 看

kàn　　　　　　look

好看　hǎokàn　　good-looking

字 → 词 → 句　Character → Word → Sentence

这
这个
这个公园
这个公园很好玩儿。

练
练习
练习写汉字
我练习写汉字。

和
我和爸爸、妈妈
我和爸爸、妈妈去公园
我和爸爸、妈妈一起去公园。

红
红花
红花绿叶
红花绿叶很好看。

读一读 Learn to read

六一儿童节那天，玛丽和爸爸、妈妈一起去公园。

公园里（lǐ, *inside*）有山，有水，有红花，有绿草（cǎo, *grass*），有大树（shù, *tree*），有可爱的小鸟（niǎo, *bird*），很好看。

说一说 Learn to speak

阿里：玛丽，六一儿童节那天你去公园了吗？

玛丽：我去公园了。我是和爸爸妈妈一起去的。

阿里：公园离（lí, *from*）这儿远吗？

玛丽：不远，很近。

阿里：好玩儿吗？

玛丽：可好玩儿了！

儿歌乐园 Children's songs

Gōngyuán měi,
公园　　美，
Parks are beautiful

yǒu shānshuǐ.
有　　山水　。
in which there are mountains and lakes.

Húshuǐ qīng,
湖水　　清，
Lakes are clear

shānpō lǜ;
山坡　　绿；
and hillsides are green.

Yú'ér yóu,
鱼儿　游，
Fishes are swimming

niǎo'ér fēi;
鸟儿　　飞，
and birds are flying.

Huā shèngkāi,
花　　盛开　，
Flowers are in full blossom

xiāng wànlǐ.
香　　万里。
which are so fragrant that we can smell them far away.

Cháng yóuyuán,
常　　游园　，
It is of great benefit

dà yǒuyì.
大 有益。
to go to the park often.

复习课 爷爷的生日

Revision Grandpa's birthday

写一写　Learn to write

过 （6画）　　寸+辶 → 过

guò　　　　　celebrate; pass

过	一	寸	寸	过
过	过	过		

过生日 guò shēngri

celebrate one's birthday

岁 （6画）　　山+夕 → 岁

suì　　　　　year

岁	屮	屮	岁	岁
岁	岁	岁		

七十岁 qīshí suì　seventy years old

您 （11画）　　你+心 → 您

nín　　　　　you(in a polite way)

您	您	您		
您	您	您		

您好　nín hǎo　Hello! How are you?

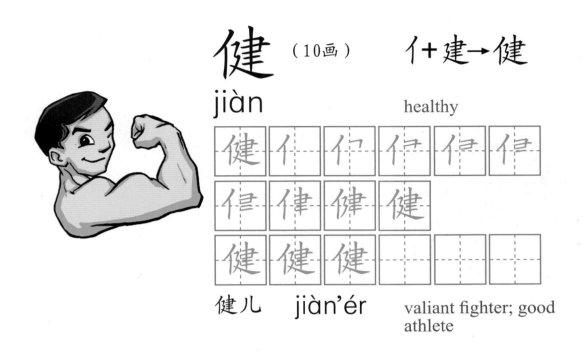

健 （10画）   亻+建→健

jiàn   healthy

健	亻	仁	仁	伊	伊
伊	律	健	健		
健	健	健			

健儿   **jiàn'ér**   valiant fighter; good athlete

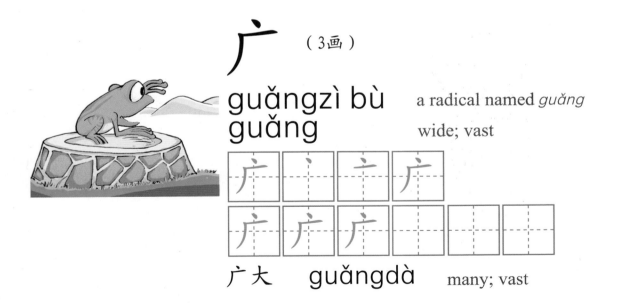

广 （3画）

guǎngzì bù   a radical named *guǎng*
guǎng   wide; vast

广	丶	亠	广
广	广	广	

广大   **guǎngdà**   many; vast

康 （11画）　广 + 隶 → 康

kāng　　　　healthy

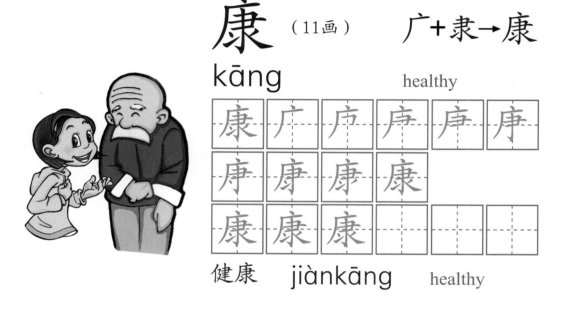

健康　　jiànkāng　　healthy

寿 （7画）　龶 + 寸 → 寿

shòu　　　　longevity

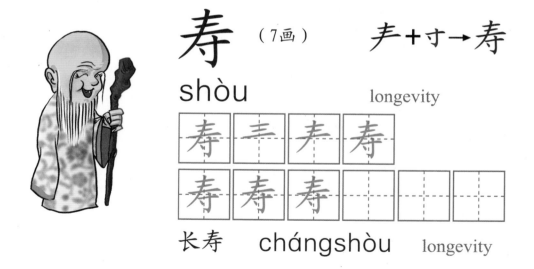

长寿　chángshòu　longevity

读一读 Learn to read

六月八日，是丽丽的爷爷七十岁生日。丽丽一家人一起给（gěi, *for*）他祝寿。丽丽说："我采了一束红花，送给您，祝您生日快乐，健康长寿！"一家人唱（chàng, *sing*）起了《祝你生日快乐》。爷爷非常（fēicháng, *extremely*）高兴。

说一说 Learn to speak

丽丽： 今天是您七十岁生日，我采了一束红花，送给您。祝您健康长寿！

奶奶： 我做（zuò, *make*）了长寿面（chángshòumiàn, *birthday noodles*），祝老伴儿（lǎobànr, *one of the old couple*）生日快乐！

爷爷： 好，好，好！你们给我祝寿（zhùshòu, *congratulate on one's birthday*），我太（tài, *extremely; too*）高兴了！

儿歌乐园 Children's songs

Lǎoyéye,
老爷爷,
The old man

shēntǐ hǎo.
身体 好。
is in good health.

Qīshí suì,
七十 岁,
He is seventy years old

bù fú lǎo.
不 服 老。
but he does not think he is very old.

Ài xuéxí,
爱 学习,
He loves to study

tè qínláo.
特 勤劳。
and is very diligent.

Tā cháng shuō:
他 常 说:
He often says:

Huó dào lǎo,
活 到 老,
It is never too old

xué dào lǎo.
学 到 老。
to learn.

描一描，写一写　Trace and write

月	月			明	明		
朋	朋			天	天		
有	有			胖	胖		
脸	脸			团	团		
圆	圆			园	园		
国	国			木	木		
本	本			朵	朵		
束	束			采	采		
果	果			节	节		
花	花			礼	礼		
祝	祝			祖	祖		
童	童			狗	狗		
猜	猜			猫	猫		
它	它			宝	宝		

家	家			羊	羊		
养	养			着	着		
只	只			可	可		
边	边			这	这		
那	那			远	远		
近	近			和	和		
红	红			练	练		
绿	绿			叶	叶		
美	美			看	看		
过	过			岁	岁		
您	您			健	健		
广	广			康	康		
寿	寿						

生字表

1

nǐ	men	tā	shén	me	kǒu
你	们	他	什	么	口
jiào	chī	míng	zì	ne	ma
叫	吃	名	字	呢	吗

2

nǚ	mā	tā	jiě	mèi	nǎi
女	妈	她	姐	妹	奶
hǎo/hào	fù	yé	bà	gōng	zuò
好	父	爷	爸	工	作

3

rèn	shí	yǔ	hàn	shuō	huà
认	识	语	汉	说	话
kè	jiǎng	cí	shēng		
课	讲	词	生		

4

dǎ	pāi	zhǎo	lā	miáo	wán
打	拍	找	拉	描	玩

qiú	bān	pí	ba	qǐ
球	班	皮	吧	起

5

ài	tóng	xué	nán	shì
爱	同	学	男	是

6

yuè	míng	péng	tiān	yǒu	pàng
月	明	朋	天	有	胖

liǎn	tuán	yuán	yuán	guó
脸	团	圆	园	国

7

mù	běn	duǒ	shù	cǎi	guǒ
木	本	朵	束	采	果

jié	huā	lǐ	zhù	zǔ	tóng
节	花	礼	祝	祖	童

8

gǒu	cāi	māo	tā	bǎo	jiā
狗	猜	猫	它	宝	家

yáng	yǎng	zhe/zháo	zhī	kě	
羊	养	着	只	可	

9

biān	zhè	nà	yuǎn	jìn	hé
边	这	那	远	近	和

hóng	liàn	lǜ	yè	měi	kàn
红	练	绿	叶	美	看

10

guò	suì	nín	jiàn	guǎng	kāng
过	岁	您	健	广	康

shòu
寿

词语表

1

nǐ men	wǒmen	tāmen	shénme	wǔ kǒu rén
你们	我们	他们	什么	五口人

jiào shénme	chī shénme	míngzi	xiězì	nǐ ne
叫什么	吃什么	名字	写字	你呢

nǐ hǎo ma
你好吗

2

nǚrén	māma	tāmen	jiějie	mèimei
女人	妈妈	她们	姐姐	妹妹

nǎinai	nǐ hǎo	hào chī	fùzǐ	yéye
奶奶	你好	好吃	父子	爷爷

bàba	gōngrén	gōngzuò
爸爸	工人	工作

3

rèn zì	rènshi	Hànyǔ	Hànzì	shuō Hànyǔ
认字	认识	汉语	汉字	说汉语

shuōhuà	shàngkè	xiàkè	jiǎng Hànyǔ	cíyǔ
说话	上课	下课	讲汉语	词语

shēngcí	shēngzì
生词	生字

4

dǎ qiú	dǎzì	pāi píqiú	zhǎo péngyou
打球	打字	拍皮球	找朋友

shǒu lā shǒu	miáo zì	wánr shénme	zúqiú
手拉手	描字	玩儿什么	足球

wǒmen bān	píxié	hǎo ba	yīqǐ
我们班	皮鞋	好吧	一起

5

wǒ ài māma	tóngxué	xuéxí	nántóngxué
我爱妈妈	同学	学习	男同学

shì nǚtóngxué
是女同学

6

míngyuè	míngtiān	péngyou	tiānshàng	yǒngmíng
明月	明天	朋友	天上	有名

pàngzi	yuán liǎn	tuányuán	yuánzhūbǐ
胖子	圆脸	团圆	圆珠笔

gōngyuán	Zhōngguó
公园	中国

7

mùmǎ	kèběn	yī duǒ yún	yī shù huā	cǎi huā
木马	课本	一朵云	一束花	采花

shuǐguǒ	jiérì	huāduǒ	lǐwù	zhùcí
水果	节日	花朵	礼物	祝词

zǔguó	értóng
祖国	儿童

8

xiǎogǒu	cāi yī cāi	xiǎomāo	tāmen	guóbǎo
小狗	猜一猜	小猫	它们	国宝

jiāyuán	shānyáng	yǎng māo	yǎngzhe	zháohuǒ
家园	山羊	养猫	养着	着火

yī zhī māo	kě'ài
一只猫	可爱

9

xībian	běibian	shàngbian	xiàbian
西边	北边	上边	下边

zhèbian	nàbian	bù yuǎn	yuǎnjìn
这边	那边	不远	远近

wǒ hé māma	hónghuār	liànxí	lǜyè
我和妈妈	红花儿	练习	绿叶

yèzi	měilì	hǎokàn
叶子	美丽	好看

10

guò shēngrì	qīshí suì	nín hǎo	jiàn'ér
过生日	七十岁	您好	健儿

guǎngdà	jiànkāng	chángshòu
广大	健康	长寿

6